Jody Vassallo

Wok

Photographies de Deirdre Rooney

MARABOUT

Wok thaï

Wok chinois

comment culotter un wok

Avant sa première utilisation, il vous faudra « culotter » votre wok. Tout d'abord pour que les aliments n'attachent pas et ensuite pour qu'il ne rouille pas. Quand on sort un wok en carbone de son emballage, il faut éliminer la graisse industrielle qui le protège. Lavez-le à l'eau savonneuse. Rincez-le sous l'eau froide et essuyez-le soigneusement.

Badigeonnez l'intérieur du wok d'huile d'arachide, puis faites-le chauffer à température élevée. Inclinez-le pour que l'huile s'étende sur tout le fond. Éteignez le feu et laissez refroidir le wok avec l'huile dedans.

Quand le wok est froid, essuyez l'huile en excès avec un papier absorbant et recommencez : versez de l'huile, faites chauffer et laissez refroidir.

Répétez ce processus trois fois, en veillant à bien éponger l'huile dans le fond du wok sous peine de voir se former une couche gélatineuse. Votre wok sera prêt à l'emploi quand il commencera à noircir.

ENTRETIEN

Quand vous avez fini de cuisiner, ne lavez pas un wok culotté à l'eau savonneuse, utilisez simplement une brosse en bambou et passez cette dernière sous l'eau chaude. Profitez des premières utilisations du wok pour le culotter un peu plus en fin de cuisson. Faites-le chauffer à feu vif, tapissez-le d'une couche d'huile et laissez-la brûler comme vous l'avez fait la première fois. Laissez refroidir et essuyez l'huile en excès avant de le ranger.

Après quelques mois d'utilisation, le wok sera recouvert d'une couche noire et luisante, signe qu'il ne sera plus nécessaire de le culotter après usage. Il suffira alors de le passer sous l'eau froide et de le laisser sécher sur feu vif.

DEUX CONSEILS POUR RÉUSSIR LA FRITURE

Laissez chauffer l'huile jusqu'à ce qu'elle se fluidifie, puis testez sa température en y plongeant une baguette en bois à la verticale. Si le liquide bouillonne autour de la baguette, c'est que l'huile est prête à l'emploi.

Procédez toujours en plusieurs tournées, pour ne pas faire tomber la température de l'huile en faisant frire trop d'aliments à la fois.

tom yum goong

500 g de crevettes crues

1 c. à s. d'huile végétale

2 tiges de citronnelle froissées
et finement émincées

3 tranches de galanga (facultatif)

1 ½ c. à s. d'échalotes d'Asie
finement hachées

3 piments oiseaux rouges
coupés en deux

1 ½ à 3 c. à s. de confiture
de piment

2 feuilles de citron kaffir ciselées
sans les tiges

8 tomates cerises coupées en deux

100 g de champignons de Paris
coupés en deux

3 c. à s. de sauce de poisson

2 c. à s. de jus de citron vert

Décortiquez les crevettes, ôtez la nervure centrale et gardez
les queues. Ne jetez pas les carapaces, vous en aurez besoin
pour le bouillon de la soupe.

Préchauffez l'huile dans une casserole profonde ou un wok
et laissez-y revenir les carapaces des crevettes 3 à 5 minutes.
Quand elles sont roses, ajoutez 1,25 litre d'eau et portez à
ébullition. Laissez cuire 5 minutes et passez le tout au chinois.
Passez le bouillon et jetez les carapaces.

Remettez le bouillon dans la casserole. Incorporez la citronnelle,
le galanga (si vous en utilisez), l'échalote, le piment, la confiture
de piment et les feuilles de citron kaffir. Portez à ébullition, laissez
bouillir 5 minutes et réduisez le feu.

Ajoutez les tomates cerises et les champignons et laissez mijoter
5 minutes. Incorporez ensuite les crevettes et poursuivez
la cuisson 3 à 5 minutes. Éteignez le feu, incorporez la sauce
de poisson et le jus de citron. Servez aussitôt.

POUR 4 PERSONNES
25 MINUTES DE PRÉPARATION
25 MINUTES DE CUISSON

mee grob

50 cl d'huile d'arachide
pour la friture

150 g de vermicelles de soja
ou de vermicelles de riz coupés
en petits morceaux

2 œufs légèrement battus

3 gousses d'ail hachées

250 g de tofu coupés en petits dés

3 oignons nouveaux émincés

4 c. à s. de sucre de palme râpé
ou de sucre roux

3 c. à s. de sauce de poisson
ou de sauce de soja

4 c. à s. de jus de citron vert

3 c. à s. de vinaigre blanc

1 ½ c. à s. de coriandre ciselée

50 g de germes de soja

1 grand piment rouge finement
émincé

Préchauffez l'huile dans un wok et faites-y frire les vermicelles jusqu'à ce qu'ils soient croustillants et bien blancs. Égouttez-les sur du papier absorbant et laissez-les refroidir 30 minutes. Procédez en plusieurs tournées pour que les vermicelles ne soient pas trop gras.

Avec une louche, videz l'huile du wok en en gardant la valeur de 2 c. à s. et réservez-en 2 autres. Faites chauffer l'huile restée dans le wok, versez-y les œufs battus et inclinez le wok pour bien enrober les bords. Quand les œufs sont pris, retournez l'omelette, laissez cuire l'autre face, puis versez-la sur un plat et laissez-la tiédir avant de la détailler en fines lamelles. Ajoutez 2 c. à s. d'huile dans le wok, faites-y dorer l'ail et le tofu à feu vif, puis l'oignon nouveau.

Incorporez le sucre, la sauce de poisson (ou la sauce de soja), le jus de citron vert et le vinaigre. Portez à ébullition. Ajoutez les vermicelles et la coriandre et mélangez rapidement le tout pour enrober les vermicelles de la sauce.

Servez le mee grob parsemé des germes de soja et de l'omelette en lamelles. Garnissez de piment rouge émincé.

POUR 4 PERSONNES
30 MINUTES DE PRÉPARATION
30 MINUTES DE REFROIDISSEMENT
20 MINUTES DE CUISSON

riz sauté aux légumes

2 c. à s. d'huile végétale

3 échalotes d'Asie hachées

4 gousses d'ail pilées

1 ½ c. à s. de sucre de palme râpé
ou de sucre roux

100 g de haricots verts émincés

100 g de petits pois frais
ou congelés

½ poivron vert finement émincé

1 tomate mûre hachée

4 oignons nouveaux émincés

3 œufs légèrement battus

100 g de germes de soja

740 g de riz au jasmin cuit
et refroidi

1 ½ c. à s. de sauce de soja claire

1 ½ c. à s. de sauce de soja foncée

10 g de feuilles de coriandre
fraîche

Préchauffez l'huile dans un wok à feu moyen et faites-y revenir l'échalote et l'ail. Quand il est doré, ajoutez le sucre, les haricots verts, les petits pois, le poivron vert, la tomate et les oignons nouveaux et laissez revenir 3 minutes.

Poussez ces ingrédients sur le côté et versez les œufs battus dans le wok. Quand ils sont légèrement brouillés, ajoutez les germes de soja, le riz, les sauces de soja et les feuilles de coriandre.

Saisissez le tout à feu vif pour bien les réchauffer et servez aussitôt.

POUR 4 PERSONNES
20 MINUTES DE PRÉPARATION
15 MINUTES DE CUISSON

tofu sauté à l'ail et au poivre

1 c. à s. d'huile végétale

750 g de tofu ferme, égoutté
et coupé en dés de 2 cm

1 échalote finement hachée

5 gousses d'ail pilées

2 c. à c. de sucre en poudre

1 c. à c. de grains de poivre noir

1 c. à c. de grains de poivre blanc

3 c. à s. de sauce d'huître

Préchauffez l'huile dans un wok à feu moyen et faites-y revenir le tofu. Quand il est doré, ajoutez l'échalote et l'ail. Laissez cuire 1 minute, tout en remuant.

Dans un mortier, mélangez le sucre, le poivre noir et le poivre blanc. Incorporez cette poudre au tofu et arrosez de la sauce d'huître. Remuez le tofu pour bien l'enrober de la sauce et servez aussitôt.

POUR 4 PERSONNES
10 MINUTES DE PRÉPARATION
5 MINUTES DE CUISSON

salade satay au tofu épicé

2 c. à s. d'huile végétale

2 gousses d'ail émincées

1 grand piment rouge épépiné et finement émincé

500 g de tofu ferme égoutté et coupé en dés de 2 cm

4 oignons nouveaux coupés en morceaux de 5 cm

100 g de germes de haricots mungo

½ petit chou chinois finement émincé

10 g de basilic thaï

½ poivron rouge finement émincé

12,5 cl de sauce satay

4 feuilles de citron kaffir, finement ciselées sans les tiges, en garniture

Dans un wok, préchauffez l'huile à feu moyen et faites-y dorer l'ail avec le piment. Ajoutez le tofu et poursuivez la cuisson. Quand il brunit, incorporez les oignons et laissez cuire encore 1 minute en remuant. Ôtez le wok du feu.

Mélangez les germes de haricots mungo, le chou, le basilic thaï et le poivron rouge dans un grand récipient. Répartissez le mélange dans 4 assiettes creuses. Couvrez de tofu et de sauce satay. Servez la salade de tofu garnie de feuilles de citron kaffir.

POUR 4 À 6 PERSONNES
15 MINUTES DE PRÉPARATION
15 MINUTES DE CUISSON

légumes sautés

2 c. à s. d'huile végétale

2 gousses d'ail hachées

100 g de pois gourmands

10 jeunes épis de maïs coupés en deux dans la longueur

100 g d'asperges coupées en tronçons de 5 cm

100 g de champignons shiitake frais

1 bouquet de choy sum, de légumes verts chinois ou de brocoli chinois coupés en morceaux de 5 cm

80 g de ciboule chinoise (avec les fleurs) coupée en tronçons de 5 cm

3 c. à s. de sauce d'huître

1 ½ c. à s. de sauce au piment douce

½ c. à c. d'huile de sésame

poivre blanc

Faites chauffer l'huile dans un wok à feu moyen et laissez brunir l'ail légèrement. Augmentez le feu. Ajoutez les pois gourmands, les épis de maïs, les asperges, les champignons, le choy sum, la ciboule chinoise, la sauce d'huître, la sauce au piment et l'huile de sésame.

Laissez revenir 2 à 3 minutes, tout en remuant.

Saupoudrez de poivre blanc et servez aussitôt.

POUR 4 À 6 PERSONNES
10 MINUTES DE PRÉPARATION
10 MINUTES DE CUISSON

aubergines sautées

2 c. à s. d'huile végétale

3 c. à s. de gingembre frais finement émincé

2 gousses d'ail émincées

½ c. à c. de piments écrasés

4 petites aubergines coupées en morceaux

3 c. à s. de sauce de soja

3 c. à s. de sauce au piment douce

1 ½ c. à s. de sauce de poisson

1 ½ c. à s. de sucre de palme râpé ou de sucre roux

Préchauffez l'huile dans un wok à four moyen. Laissez-y dorer le gingembre, l'ail et le piment 1 à 2 minutes. Ajoutez les aubergines et poursuivez la cuisson 5 minutes.

Incorporez la sauce de soja, la sauce au piment douce, la sauce de poisson et le sucre. Mélangez. Portez à ébullition et laissez cuire 5 minutes, pour des aubergines tendres et dorées. Servez sur un grand plat.

10 MINUTES DE PRÉPARATION
15 MINUTES DE CUISSON
POUR 4 À 6 PERSONNES

pad siewe

500 g de nouilles de riz fraîches
à température ambiante

2 c. à s. d'huile végétale

300 g de tofu ferme égoutté
et finement émincé

4 gousses d'ail pilées

1 carotte finement émincée

200 g de chou-fleur détaillé
en fleurettes

250 g de brocoli chinois
ou de bok choy
grossièrement haché

4 œufs légèrement battus

POUR LA SAUCE

4 c. à s. de sauce d'huître

2 c. à s. de sauce de soja

1 c. à c. de sucre en poudre

1 c. à c. de poivre blanc

Coupez les nouilles de riz en gros morceaux. Préchauffez l'huile dans un wok et faites-y revenir le tofu à feu vif pour un tofu doré et croustillant.

Ajoutez l'ail, la carotte et le chou-fleur, versez 2 c. à s. d'eau et laissez sauter 5 minutes.

Incorporez le brocoli chinois ou le bok choy, poursuivez la cuisson 2 minutes, ajoutez les nouilles et faites-les cuire.

Pendant ce temps, préparez la sauce. Mélangez la sauce d'huître, la sauce de soja, le sucre en poudre et le poivre. Versez ce mélange dans le wok et laissez revenir jusqu'à ce que la sauce enrobe les nouilles.

Poussez les nouilles sur le côté, versez les œufs battus dans le wok. Quand les œufs prennent, mélangez-les aux nouilles et servez aussitôt.

POUR 4 PERSONNES
20 MINUTES DE PRÉPARATION
15 MINUTES DE CUISSON

légumes aigres-doux

5 g de tamarin

1 c. à s. d'huile végétale

1 oignon finement émincé

2 gousses d'ail émincées

200 g d'ananas frais haché

12,5 cl de bouillon de poulet
ou de légumes

1 mini-concombre pelé, épépiné
et grossièrement émincé

½ poivron rouge haché

½ poivron vert haché

100 g de jeunes épis de maïs
coupés en deux

1 tomate mûre coupée en quartiers

1 ½ c. à s. de sauce de poisson
(ou de sauce de soja)

3 c. à s. de sauce au piment douce

Faites tremper le morceau de tamarin dans 5 cl d'eau chaude. Pressez le tamarin dans l'eau pour que celle-ci s'imprègne de la saveur et de la couleur du fruit. Filtrez l'eau et réservez-en 2 c. à s.

Préchauffez l'huile dans un wok et faites fondre l'oignon et l'ail à feu moyen. Ajoutez l'ananas et 5 cl de bouillon. Laissez chauffer 2 minutes, ajoutez le concombre, le poivron rouge et le poivron vert, le maïs et la tomate. Versez le reste de bouillon. Prolongez la cuisson 5 minutes.

Incorporez la sauce de poisson ou la sauce de soja, la sauce au piment douce, l'eau de tamarin. Portez à ébullition. Servez aussitôt.

POUR 4 PERSONNES
20 MINUTES DE PRÉPARATION
15 MINUTES DE CUISSON

curry chu chi de poisson et noix de Saint-Jacques

50 cl de lait de coco

3 c. à s. de pâte de curry rouge

1 c. à c. de pâte de crevette grillée (facultatif)

3 c. à s. de sauce de poisson

1 ½ à 3 c. à s. de sucre de palme râpé

4 feuilles de citron kaffir ciselées sans les tiges

½ c. à c. de poivre blanc

300 g de filet de poisson blanc (lutjan, cabillaud ou flétan) coupé en dés

3 c. à s. de feuilles de basilic thaï frais

12 noix de Saint-Jacques sans le corail

Préchauffez un wok. Ajoutez la pâte de curry et la crème de coco qui s'est formée sur le haut de la boîte. Laissez chauffer 5 minutes à feu moyen, puis ajoutez le reste de lait.

Incorporez la pâte de crevette (si vous l'utilisez), la sauce de poisson, le sucre de palme, les feuilles de citron kaffir et le poivre blanc. Laissez mijoter 20 minutes jusqu'à réduction et épaississement du curry.

Ajoutez le poisson, le basilic et les noix de Saint-Jacques. Prolongez la cuisson 5 minutes. Servez aussitôt.

POUR 4 PERSONNES
15 MINUTES DE PRÉPARATION
30 MINUTES DE CUISSON

riz sauté aux fruits de mer

300 g de grosses crevettes crues

2 c. à s. d'huile végétale

3 c. à s. de gingembre frais haché

3 gousses d'ail hachées

2 échalotes d'Asie hachées

300 g de poisson blanc à chair ferme (lotte ou dos de cabillaud) coupé en cubes de 2 cm

300 g de calamars coupés en lamelles

1 ½ c. à s. de sucre de palme râpé ou de sucre roux

3 c. à s. de sauce de poisson

750 g de riz au jasmin cuit et refroidi

1 tomate hachée

4 oignons nouveaux émincés

100 g de germes de soja

3 c. à s. de feuilles de coriandre ciselées

3 c. à s. de feuilles de basilic thaï ciselées

1 grand piment rouge épépiné et finement émincé

sauce de soja

Décortiquez les crevettes en retirant la nervure centrale. Préchauffez l'huile dans un grand wok à feu moyen et faites-y revenir le gingembre, l'ail et l'échalote pendant 2 minutes. Incorporez les crevettes, les cubes de poisson, les calamars, le sucre et la sauce de poisson et prolongez la cuisson 2 minutes.

Ajoutez le riz, la tomate et l'oignon nouveau. Laissez revenir encore 2 minutes. Incorporez les germes de soja, la coriandre, le basilic et le piment. Remuez 1 minute. Servez aussitôt accompagné de la sauce de soja.

POUR 4 À 6 PERSONNES
25 MINUTES DE PRÉPARATION
10 MINUTES DE CUISSON

calamars à l'ail et au poivre

500 g de corps de calamars nettoyés

3 c. à s. d'ail haché

1 ½ c. à s. de racine de coriandre fraîche hachée

1 c. à c. de grains de poivre blanc

½ c. à c. de sel

2 oignons nouveaux coupés en morceaux de 3 cm

2 c. à s. d'huile d'arachide

3 c. à s. de sauce de poisson

1 ½ c. à s. de jus de citron vert

Étalez les calamars sur un plan de travail et incisez-les de la pointe du couteau dans un sens, puis dans l'autre de façon à former des croisillons.

Mettez l'ail, la racine de coriandre, les grains de poivre blanc et le sel dans un mortier ou un moulin à épices et travaillez le tout pour obtenir une pâte.

Faites chauffer l'huile dans un wok et laissez revenir les calamars jusqu'à ce qu'ils blanchissent et se retournent sur eux-mêmes.

Incorporez la pâte précédente et poursuivez la cuisson de sorte que les calamars soient juste légèrement fermes.

Ajoutez l'oignon nouveau et la sauce de poisson, laissez cuire encore 2 minutes, éteignez le feu et incorporez le jus de citron vert.

POUR 4 PERSONNES
25 MINUTES DE PRÉPARATION
10 MINUTES DE CUISSON

crevettes à la confiture de piment

1 kg de grosses crevettes crues

1 c. à s. d'huile végétale

2 grappes de poivre vert frais

3 gousses d'ail hachées

3 c. à s. de confiture de piment
ou de sauce de haricot noir

4 feuilles de citron kaffir ciselées
sans les tiges

8 cl de sauce de poisson

4 c. à s. de sucre de palme râpé
ou de sucre roux

50 g de feuilles de basilic thaï

1 grand piment rouge épépiné
et finement émincé

2 c. à s. d'ail frit

Décortiquez les crevettes en retirant la nervure centrale. Faites chauffer l'huile dans un wok à feu moyen. Ajoutez les crevettes, le poivre vert et 2 c. à s. d'eau et laissez revenir 5 minutes, jusqu'à ce que les crevettes deviennent roses.

Ajoutez l'ail haché, la confiture de piment ou la sauce de haricot noir et les feuilles de citron kaffir. Poursuivez la cuisson 3 minutes, de sorte que le mélange développe son arôme.

Incorporez la sauce de poisson et le sucre. Portez à ébullition, puis réduisez le feu et laissez mijoter 5 minutes. Ajoutez les feuilles de basilic et garnissez de piment émincé et d'ail frit.

POUR 4 PERSONNES
25 MINUTES DE PRÉPARATION
15 MINUTES DE CUISSON

salade de crevettes glacées

750 g de grosses crevettes crues

4 c. à s. de sauce de poisson

4 c. à s. de sauce de citron vert

3 c. à s. de confiture de piment

1 grand piment rouge épépiné et finement émincé

3 c. à s. de citronnelle finement hachée

4 c. à s. d'échalotes d'Asie finement hachées

25 g de feuilles de coriandre ciselées

3 c. à s. de feuilles de menthe finement ciselées

2 oignons nouveaux finement émincés

Décortiquez les crevettes en gardant les queues intactes, retirez la nervure centrale.

Dans un saladier, mélangez au fouet la sauce de poisson, le jus de citron vert et la confiture de piment. Ajoutez les crevettes et remuez pour les enrober de sauce. Ajoutez le piment, la citronnelle, les échalotes, la coriandre, la menthe et les oignons nouveaux et mélangez soigneusement.

Égouttez les crevettes en réservant la sauce. Faites-les revenir dans un wok 3 à 5 minutes à feu moyen. Quand elles sont roses, incorporez la sauce et portez à ébullition.

Transférez le tout dans un saladier et laissez refroidir au réfrigérateur.

POUR 4 PERSONNES
25 MINUTES DE PRÉPARATION
5 MINUTES DE CUISSON
4 HEURES DE REFROIDISSEMENT

poulet sauté aux noix de cajou

2 c. à s. d'huile végétale

2 échalotes d'Asie finement émincées

1 ½ c. à s. de galanga frais finement émincé

500 g de cuisses de poulet

2 piments séchés entiers

1 poivron rouge finement émincé

3 oignons nouveaux coupés en morceaux de 5 cm

3 c. à s. de sauce de soja

1 ½ c. à s. de sucre de palme râpé ou de sucre roux

1 ½ c. à s. de sauce de poisson

100 g de noix de cajou grillées à la poêle, non salées

3 c. à s. de feuilles de coriandre fraîche

poivre blanc moulu

Faites chauffer l'huile dans un wok à feu moyen et faites revenir les échalotes et le galanga. Quand le mélange commence à brunir, faites-y dorer les cuisses de poulet 4 minutes. Ajoutez les piments, le poivron et les oignons nouveaux. Poursuivez la cuisson 3 minutes.

Incorporez la sauce de soja, le sucre, la sauce de poisson et les noix de cajou. Laissez mijoter 1 à 2 minutes.

Présentez le poulet dans un plat de service, garni de feuilles de coriandre et assaisonné de poivre blanc.

POUR 4 PERSONNES
15 MINUTES DE PRÉPARATION
10 MINUTES DE CUISSON

poulet au piment et au basilic

2 c. à s. d'huile végétale

1 ½ c. à s. d'ail haché

500 g de blanc de poulet finement émincé

150 g de tiges tendres de brocoli grossièrement hachées

1 grand piment rouge épépiné et découpé en fines lamelles

1 grand piment vert épépiné et découpé en fines lamelles

3 c. à s. de confiture de piment

3 c. à s. de sauce de poisson

20 g de feuilles de basilic thaï frais

Faites chauffer l'huile dans un wok à feu vif et saisissez-y l'ail 1 minute. Ajoutez le poulet et laissez revenir 1 à 2 minutes en remuant constamment pour qu'il dore de toutes parts.

Incorporez les tiges de brocoli, les piments, la confiture de piment et la sauce de poisson. Laissez sauter 5 minutes.

Quand le poulet est cuit, incorporez les feuilles de basilic. Dès qu'elles ramollissent, éteignez le feu et servez aussitôt.

POUR 2 À 4 PERSONNES
10 MINUTES DE PRÉPARATION
10 MINUTES DE CUISSON

pad thaï au poulet

15 g de tamarin

250 g de pâtes de riz

2 c. à s. d'huile végétale

300 g de blanc de poulet émincé

100 g de tofu ferme égoutté
et finement émincé

3 gousses d'ail hachées

3 c. à s. de crevettes séchées
(facultatif)

280 g de germes de soja

8 c. à s. de sauce de poisson

3 c. à s. de sucre en poudre

2 œufs légèrement battus

4 c. à s. de cacahuètes grillées
hachées

3 c. à s. de ciboule chinoise coupée
en tronçons de 3 cm

1 citron vert coupé en quartiers

1 concombre pelé et émincé

Faites tremper le morceau de tamarin dans 15 cl d'eau chaude. Pressez le tamarin dans l'eau pour que celle-ci s'imprègne de la saveur et de la couleur du fruit. Filtrez l'eau et réservez-en 6 c. à s.

Dans un saladier, laissez tremper les pâtes de riz 20 minutes dans l'eau froide et égouttez-les soigneusement.

Faites chauffer l'huile dans un wok. Faites-y revenir le poulet et le tofu pendant 5 minutes à feu vif. Quand le poulet commence à brunir, ajoutez l'ail et les crevettes (si vous en utilisez), poursuivez la cuisson 2 minutes, puis incorporez les nouilles. Laissez cuire 2 minutes avant d'incorporer les germes de soja.

Mélangez la sauce de poisson, le sucre et l'eau de tamarin, versez ce liquide dans le wok et laissez sauter 5 minutes jusqu'à ce que les pâtes absorbent la sauce.

Poussez les pâtes sur le côté de la poêle et versez les œufs. Mélangez-les rapidement. Ajoutez les cacahuètes et la ciboule. Remuez tous les ingrédients ensemble et laissez cuire encore 2 minutes.

Servez le pad thaï sur assiette, accompagné d'un quartier de citron vert et de quelques tranches de concombre.

POUR 4 PERSONNES
30 MINUTES DE PRÉPARATION
20 MINUTES DE TREMPAGE
15 MINUTES DE CUISSON

sauté de poulet au gingembre et aux pois gourmands

2 c. à s. d'huile végétale

500 g de blanc de poulet émincé

3 c. à s. de gingembre finement émincé

2 gousses d'ail hachées

2 branches de céleri finement émincées

130 g de châtaignes d'eau coupées en deux

200 g de pois gourmands

2 oignons nouveaux coupés en morceaux de 3 cm

4 c. à s. de sauce de soja

1 ½ c. à s. de sucre en poudre

12,5 cl de bouillon de poulet

1 ½ c. à s. de vin rouge chinois

Faites chauffer l'huile dans un wok et laissez dorer le blanc de poulet 5 minutes à feu moyen. Ajoutez le gingembre, l'ail, le céleri et les châtaignes d'eau. Laissez cuire 3 minutes.

Incorporez les pois gourmands, les oignons nouveaux, la sauce de soja, le sucre, le bouillon et le vin rouge et laissez cuire jusqu'à ébullition, en remuant constamment.

POUR 4 PERSONNES
15 MINUTES DE PRÉPARATION
15 MINUTES DE CUISSON

nouilles épicées au poulet

5 g de tamarin

1 c. à s. d'huile végétale

4 gousses d'ail pilées

1 c. à c. de piment séché

2 échalotes d'Asie
finement hachées

500 g de blanc de poulet émincé

1 poivron rouge émincé

100 g d'asperges émincées

100 g de brocolinis (tiges tendres
de brocoli) grossièrement hachés

3 c. à s. de sauce de poisson

1 ½ c. à s. de sucre de palme râpé
ou de sucre roux

400 g de nouilles Hokkien

10 g de feuilles de coriandre
fraîche

quartiers de citron vert

Faites tremper le morceau de tamarin dans 5 cl d'eau chaude. Pressez le tamarin dans l'eau pour que celle-ci s'imprègne de la saveur et de la couleur du fruit. Filtrez l'eau et réservez-en 2 c. à s.

Dans un wok, faites chauffer l'huile à feu moyen. Faites-y revenir l'ail, le piment et l'échalote 2 minutes avant d'ajouter le poulet. Laissez cuire 5 minutes.

Ajoutez le poivron rouge, les asperges et les brocolinis, laissez cuire encore 3 minutes et incorporez la sauce de poisson, le sucre, l'eau de tamarin et les nouilles. Prolongez la cuisson 2 minutes.

Incorporez les feuilles de coriandre et servez les nouilles immédiatement agrémentées des quartiers de citron vert.

POUR 4 PERSONNES
15 MINUTES DE PRÉPARATION
15 MINUTES DE CUISSON

nouilles sautées au bœuf et à la sauce d'huître

1 c. à s. d'huile d'arachide

300 g de rumsteak finement émincé

2 gousses d'ail hachées

1 poivron rouge émincé

100 g de champignons shiitake émincés

300 g de nouilles Hokkien

200 g de brocoli chinois ou de bok choy grossièrement haché

3 c. à s. de sauce de soja

4 c. à s. de sauce d'huître

2 c. à c. de sucre en poudre

1/2 c. à c. de poivre blanc

Préchauffez l'huile dans un wok et saisissez-y le bœuf à feu vif. Une fois la viande dorée, ajoutez l'ail, le poivron rouge et les champignons. Laissez revenir 3 minutes, puis incorporez les nouilles et le brocoli. Prolongez la cuisson 3 minutes.

Mélangez la sauce de soja, la sauce d'huître, le sucre et le poivre. Versez ce mélange dans le wok, laissez chauffer jusqu'à ébullition de la sauce et retirez du feu. Servez aussitôt.

POUR 4 PERSONNES
20 MINUTES DE PRÉPARATION
10 MINUTES DE CUISSON

sauté de porc au soja

2 c. à s. d'huile végétale

500 g de filet de porc émincé

1 oignon finement émincé

2 gousses d'ail hachées

2 grands piments rouges épépinés et finement émincés

4 c. à s. de sauce de soja claire

1 c. à c. de sucre en poudre

10 g de feuilles de basilic thaï

Dans un wok, faites chauffer l'huile et saisissez-y le porc à feu vif pour qu'il dore de toutes parts. Ajoutez l'oignon et l'ail et laissez fondre et dorer l'oignon 3 minutes.

Incorporez les piments, la sauce de soja et le sucre et laissez chauffer. Ajoutez les feuilles de basilic, laissez cuire encore 1 minute. Servez aussitôt.

POUR 4 PERSONNES
10 MINUTES DE PRÉPARATION
10 MINUTES DE CUISSON

poulet sauté au poivre du Sichuan et aux cacahuètes

1 kg de blancs de poulet coupés en petits cubes

3 c. à s. de sauce de soja brune

1 c. à c. d'huile de sésame

1 ½ c. à c. de Maïzena

3 c. à s. d'huile végétale

2 piments secs épépinés et broyés grossièrement

1 c. à c. de poivre du Sichuan en grains

2 oignons verts émincés

2 gousses d'ail émincées

3 c. à s. de sucre en poudre

3 c. à s. de vinaigre noir

1 ½ c. à s. de sauce de soja claire

80 g de cacahuètes nature grillées

Mélangez dans un saladier la sauce de soja brune, l'huile de sésame et la Maïzena avant d'y faire mariner les cubes de poulet ; retournez-les plusieurs fois dans cette sauce pour bien les enrober.

Faites chauffer l'huile dans un wok et saisissez le poulet en plusieurs tournées, 5 minutes environ pour qu'il soit très tendre. Ajoutez les piments, le poivre, les oignons verts et l'ail, remuez pendant 2 minutes environ puis incorporez le sucre, le sel, le vinaigre et la sauce de soja claire.

Faites épaissir à petits bouillons, sans cesser de mélanger. Jetez pour finir les cacahuètes dans le wok (broyez-les d'abord grossièrement) et laissez cuire encore 2 minutes, en remuant toujours.

POUR 4 PERSONNES
PRÉPARATION 25 MINUTES
CUISSON 15 MINUTES

poulet sauté au piment et noix de cajou

2 c. à s. d'huile d'arachide

100 g de noix de cajou (non salées)

1 c. à c. de piments séchés en flocons

1 ½ c. à s. de gingembre frais en très fines lamelles

2 gousses d'ail émincées

500 g de blancs de poulet coupés en fines lamelles

1 botte de choy sum grossièrement hachée

3 c. à s. de sauce d'huîtres

1 c. à c. de sucre en poudre

1 gros piment rouge frais épépiné et coupé en très fines lamelles

Faites chauffer vivement l'huile dans un wok avant d'y jeter les noix de cajou pour les faire dorer. Égouttez-les sur du papier absorbant.

Saisissez ensuite dans l'huile chaude le piment séché, le gingembre et l'ail. Au bout de 2 minutes, ajoutez les blancs de poulet et laissez-les dorer 5 minutes en remuant souvent.

Remettez les noix de cajou dans le wok avec le choy sum, la sauce d'huîtres, le sucre en poudre et le piment frais. Mélangez 3 minutes environ à feu vif. Quand le chou est tendre, servez sans attendre.

POUR 4 PERSONNES
PRÉPARATION 10 MINUTES
CUISSON 15 MINUTES

chow mein de poulet

200 g de nouilles chinoises aux œufs

2 c. à s. d'huile végétale

300 g de blancs de poulet coupés en fines lamelles

3 oignons verts émincés

2 branches de céleri en tranches fines

100 g de shiitake frais émincés

1 poivron rouge épépiné et coupé en fines lanières

200 g de brocoli en petits bouquets

50 cl de bouillon de volaille

125 g de germes de soja

1 ½ c. à s. de sauce de soja

1 ½ c. à s. de sauce d'huîtres

1 ½ c. à s. de Maïzena

Mettez les nouilles dans un saladier, couvrez-les d'eau bouillante et laissez-les reposer 5 minutes pour qu'elles s'assouplissent. Séparez-les délicatement à la fourchette avant de les égoutter puis laissez-les sur du papier absorbant pour bien les sécher.

Faites chauffer 2 c. à s. d'huile dans un wok et saisissez les nouilles 5 minutes, en remuant délicatement. Réservez-les au chaud dans un saladier couvert.

Essuyez le wok avec du papier absorbant avant d'y verser le reste d'huile. Faites ensuite dorer le poulet dans l'huile chaude pendant 5 minutes environ.

Ajoutez les oignons verts, le céleri, les champignons, le poivron et les bouquets de brocoli, mouillez avec 3 c. à s. de bouillon et laissez cuire 3 minutes. Les légumes doivent être tendres.

Jetez les germes de soja dans le wok puis versez le bouillon, les sauces de soja et d'huîtres ainsi que la Maïzena délayée au préalable dans 2 ou 3 c. à s. d'eau. Laissez épaissir un peu après l'ébullition. Versez ce mélange sur les nouilles chaudes et servez aussitôt.

POUR 4 PERSONNES
PRÉPARATION 20 MINUTES
CUISSON 15 MINUTES

poulet sauté au sésame et au miel

1 c. à c. d'huile de sésame

1 c. à s. d'huile végétale

500 g de blancs de poulet en fines lamelles

1 ½ c. à s. de gingembre frais râpé

3 oignons verts émincés coupés en tronçons de 4 cm

1 botte de brocoli chinois coupé en tronçons

1 ½ c. à s. de cinq-épices

4 c. à s. de sauce de soja claire

1 ½ c. à s. de sauce d'huîtres

2 à 3 c. à s. de miel liquide

1 c. à c. de Maïzena

3 c. à s. de graines de sésame grillées

quelques feuilles de coriandre

Faites chauffer l'huile de sésame et l'huile végétale dans un wok puis laissez dorer le poulet à feu vif. Faites ensuite revenir le gingembre et les oignons verts 2 minutes à feu vif avant d'ajouter le brocoli. Mouillez avec 2 c. à s. d'eau et mélangez sur le feu jusqu'à ce que les feuilles du brocoli commencent à se flétrir.

Mélangez dans un petit bol le cinq-épices, la sauce de soja, la sauce d'huîtres, le miel et la Maïzena. Versez cette sauce sur la viande et laissez épaissir à petits bouillons, sans cesser de remuer.

Retirez le wok du feu. Répartissez les grains de sésame sur l a préparation et décorez de feuilles de coriandre. Servez sans attendre.

POUR 4 PERSONNES
PRÉPARATION 15 MINUTES
CUISSON 15 MINUTES

poulet aux asperges, maïs et pois gourmands

300 g de nouilles hokkien fraîches

1 c. à s. d'huile végétale

400 g de blancs de poulet en fines lamelles

2 gousses d'ail hachées

1 ½ c. à s. de gingembre frais râpé

3 oignons verts émincés

130 g de châtaignes d'eau en boîte (rincées et bien égouttées)

200 g d'asperges vertes coupées en tronçons fins

100 g de mini-épis de maïs fendus en deux dans la longueur

100 g de pois gourmands

4 c. à s. de vin de riz

4 c. à s. de sauce d'huîtres

2 c. à c. de sucre en poudre

Dans un récipient, couvrez les nouilles d'eau bouillante puis égouttez-les bien.

Faites chauffer l'huile dans un wok pour y faire dorer le poulet 3 minutes à feu vif. Ajoutez l'ail, le gingembre et les oignons verts ; laissez revenir 2 minutes. Faites ensuite sauter les châtaignes d'eau, les asperges, le maïs et les pois gourmands pendant 3 minutes environ : les légumes doivent rester croquants et la viande doit être cuite à point. Jetez alors les nouilles dans le wok et réchauffez-les.

Fouettez dans un bol le vin de riz, la sauce d'huîtres et le sucre avant de verser ce mélange dans le wok. Laissez épaissir jusqu'au point d'ébullition. Servez sans attendre.

POUR 4 PERSONNES
PRÉPARATION 20 MINUTES
CUISSON 20 MINUTES

omelette aux légumes

4 œufs

2 c. à s. pour les légumes + 1 c. à c. d'huile végétale pour l'omelette

1 gousse d'ail émincée

2 oignons verts (avec la tige) détaillés en tranches fines

100 g d'asperges vertes coupées en tronçons de 5 cm

100 g de shiitake frais émincés

100 g de germes de soja

1 c. à c. de vin de riz

1 c. à c. de vinaigre noir

½ c. à c. de poivre blanc moulu

3 c. à s. de sauce d'huîtres

quelques feuilles de coriandre

Battez les œufs dans un bol.

Faites chauffer les 2 cuillerées d'huile dans un wok pour y faire revenir l'ail et l'oignon vert. Comptez 3 minutes à feu moyen avant d'ajouter les asperges, les champignons, la moitié des germes de soja, le vin de riz et le vinaigre noir. Poivrez. Laissez revenir 3 à 4 minutes à feu vif, en remuant sans cesse, pour que les légumes soient juste croquants. Retirez les légumes du wok et laissez-les refroidir un peu.

Faites chauffer le reste d'huile à feu vif dans le même wok. Quand elle commence à fumer, versez les œufs battus en les étalant bien pour former une omelette. Ajoutez les légumes. Quand les bords de l'omelette commencent à prendre, soulevez-les légèrement pour faire couler le jaune en inclinant le wok en tous sens. Retournez ensuite l'omelette pour la faire cuire 1 minute sur l'autre face.

Répartissez le reste des germes de soja sur l'omelette, arrosez de sauce d'huîtres et décorez de feuilles de coriandre ciselées. Servez sans attendre.

POUR 2 À 4 PERSONNES
PRÉPARATION 20 MINUTES
CUISSON 10 MINUTES

nouilles sautées aux légumes et aux noix de cajou

3 c. à s. d'huile végétale

50 g de noix de cajou (non salées)

2 gousses d'ail hachées

1 ½ c. à s. de gingembre frais râpé

1 gros piment rouge frais épépiné et coupé en très fines lamelles

1 carotte en petits bâtonnets

100 g de shiitake frais émincés

3 c. à s. de tiges de coriandre fraîche hachées

500 g de nouilles de riz ou de nouilles hokkien fraîches

250 g de chou chinois en fines lanières

2 oignons verts émincés

½ c. à s. de poivre noir grossièrement moulu

4 c. à s. de sauce de soja claire

Faites chauffer la moitié de l'huile dans un wok pour y faire dorer les noix de cajou 3 minutes à feu moyen. Sortez-les du wok et broyez-les grossièrement.

Versez le reste d'huile dans le wok et laissez revenir l'ail, le gingembre et le piment 1 minute à feu vif. Ajoutez la carotte en bâtonnets, les champignons et la moitié de la coriandre. Poursuivez la cuisson 3 minutes en mélangeant bien, jusqu'à ce que les légumes soient tendres.

Incorporez les nouilles, le chou chinois, les oignons verts, le poivre et la sauce de soja. Continuez de mélanger sur le feu jusqu'à ce que les nouilles soient souples. Ajoutez enfin les noix de cajou et le reste de la coriandre, remuez vivement et servez sans attendre.

POUR 4 PERSONNES
PRÉPARATION 15 MINUTES
CUISSON 10 MINUTES

riz sauté à la viande et aux crevettes

3 c. à s. d'huile d'arachide

3 œufs légèrement battus

150 g de filet de bœuf en fines lamelles

150 g de blanc de poulet en fines lamelles

2 saucisses chinoises sèches (lap cheong) en tranches fines

1 ½ c. à s. de vin blanc sec

2 gousses d'ail écrasées

1 carotte en tranches fines

150 g de crevettes cuites décortiquées

200 g de légumes verts (chou ou brocoli chinois) en petits morceaux

150 g de petits pois (frais ou surgelés)

1 c. à s. de sucre en poudre

1 c. à s. de sauce d'huîtres

3 c. à s. de sauce de soja

750 g de riz cuit (à grains longs)

2 oignons verts émincés

Dans un wok, faites chauffer 1 cuillerée d'huile pour y faire cuire les œufs en omelette fine. Quand celle-ci est cuite, roulez-la sur une assiette et découpez-la en petits tronçons. Laissez-la égoutter sur du papier absorbant.

Versez 1 autre cuillerée d'huile dans le wok pour y faire revenir les lamelles de bœuf et de poulet avec la saucisse chinoise. Laissez dorer 2 à 3 minutes avant de mouiller avec le vin blanc. Au bout de 1 minute, sortez le mélange du wok et réservez-le au chaud.

Dans le reste d'huile, saisissez l'ail 1 minute à feu vif puis ajoutez la carotte en tranches. Remuez vivement pendant 1 à 2 minutes pour qu'elle soit juste tendre.

Incorporez alors les crevettes avec les légumes verts et laissez cuire environ 1 minute (les crevettes doivent changer de couleur). Mettez ensuite les petits pois et mélangez bien pendant 1 minute avant d'ajouter le sucre, la sauce d'huîtres et la sauce de soja. Remuez vivement.

Jetez le riz et le mélange de bœuf, poulet et saucisse chinoise dans le wok pour les réchauffer à feu vif, sans cesser de remuer.

Répartissez les lanières d'omelette et les oignons verts sur le riz, mélangez délicatement et servez sans attendre.

POUR 4 PERSONNES
PRÉPARATION 30 MINUTES
CUISSON 15 MINUTES

© Marabout, 2007

Texte traduit et adapté de l'anglais par Catherine Bon et Elisabeth Boyer

Extraits des ouvragex Basic Thaï (2007) et Basic Chinois (à paraître, 2008).

ISBN : 978-2-501-05550-5
40.4339.4 / 01
Dépôt légal : août 2007
Imprimé en Espagne par Graficas Estella